★ ★ ★ ★ ★

我想去放烟花

据［法］克利斯提昂·约里波瓦同名绘本动画片改编

郑迪蔚 / 编译

21 二十一世纪出版社
21st Century Publishing House
全国百佳出版社

下蛋，下蛋，总是下蛋！

生活中肯定有比下蛋更好玩的事情！

我要举办一个大派对……

天还没亮，皮迪克就被卡梅拉摇醒了。

“快起床，亲爱的！今天可是个特殊的日子……”

“瞧我这脑子，今天是个大日子！”

痘痘妹好奇地问：“今天是什么日子？”

“嘘——你要让全鸡舍都听见吗？我们要给他一个惊喜！”小凯丽让痘痘妹小声点。

卡梅利多一早起来，看见天空晴朗如洗，便邀请小伙伴们去河边捉小虫。

“我还有事，你自己去吧。”卡门拒绝道。

“有事？好吧，那我多抓点虫子回来给你们。”卡梅利多吹着口哨独自走了。

卡门却愁眉苦脸，“我已经琢磨了好几天，想给他一个新奇的礼物，但怎么都没找到合适的……”

“你知道今天是什么日子吗？”小胖墩坏笑着对大嗓门说，“我们要不要给他准备一个特殊的礼物？”

“好主意，我们给他办个超级派对……”

“卡门，我找到了一个特棒的地方！绝对适合开派对！”贝里奥兴奋地跑过来报告，“包你满意，跟我来！”

此时，河边来了一个穿着奇特、长着大胡子的人，只见他忙忙碌碌地在草地上摆满高高矮矮的架子，到处是杂乱的绳索，还有几个红色的大木桶……

“哈哈，准备就绪！烟花装置都各就各位，今晚闪亮的一刻就要到了！”大胡子先生兴奋地拍起手。

“我看中的就是这里。”贝里奥怯生生地嘀咕，“奇怪，我没邀请他参加啊！”

大胡子被身后突如其来的声音吓了一跳。

“啊！你们好！对不起，可爱的小鸡，我弄得到处都是烟雾！”大胡子咳嗽了几声接着说，“我是探险家马可·波罗……”

“先生，您在这儿做什么？我好像没邀请您参加晚上的派对。”贝里奥壮起胆子问。

马可·波罗笑了笑反问：“你说今晚有个派对？”

贝里奥欲言又止，不知道该不该告诉他自己的计划……

“明天是国王的登基庆典，我从遥远的国度——中国，为国王带回来一项伟大的发明……”马可·波罗转身指着小推车上的麻袋。

“我正在这里做实验，这袋黑色粉末叫做火药，非常神奇，在中国，当人们庆祝节日的时候，就会点燃用它做成的装置，把夜晚的天空映衬得五彩斑斓，这种装置有个美丽的名字——烟花！”

“哇，我想到要给卡梅利多什么惊喜了！”卡门越想越兴奋，“马可·波罗先生，我们邀请您参加今晚的派对，有什么需要帮忙的吗？”

哇！

大嗓门和小胖墩一直尾随在卡门后面，趁着他们帮马可·波罗布置烟花的时候，悄悄地来到小推车前……

“小胖墩，刚才他们说这个麻袋里装着什么？我没听清。”

“我也没听明白，反正是从遥远国度带回来的美食，”小胖墩毫不犹豫地抓了一把放在嘴里，“有点像胡椒粉，又有点像香料……呸！呸！好辣！”

噗！小胖墩放了个大响屁。

“头儿，他们是不是在河边搭舞台？我太喜欢演戏了！”田鼠克拉拉一脸向往，“好想去看看。”

卡梅利多在河下游没捉到虫子，便跑到上游来试试运气……

突然，他看见卡门和贝里奥正在小声说笑。“他们在干吗呢？”

“同意！你现在就去演间谍，我要知道这群小鸡在搞什么鬼名堂！”

“嘿，卡门，贝里奥，你们在聊什么好玩的事？”

卡梅利多的突然出现，吓了他们一跳。

“没……没什么事……”卡门结结巴巴地解释，“我们在帮马可·波罗的忙！”

“对，为了……为了做……一个大火……大火柴！”贝里奥语无伦次地小声说。

“大火柴?!”

突然，马可·波罗坐在木箱上大哭……

“妈妈咪呀！我的宝贝不见啦！呜呜呜……妈妈咪呀！”

三个小伙伴赶紧跑过来看个究竟。

“很严重吗？”卡梅利多关切地问。

“何止严重，简直是灾难！丢了这袋宝贝，就没办法向国王交代，实验也做不成了，我完蛋啦！”

“是黑色的粉末吗？”卡梅利多问。

“你怎么知道？”大伙奇怪地看着他。

卡梅利多得意地指着草地上遗留的痕迹，“要学会在细节里寻找蛛丝马迹！”

“我想只须沿着这些痕迹，就能找到小偷！”卡梅利多边说边沿着痕迹钻进了灌木丛。

“马可·波罗先生，我给您介绍一下——卡梅利多，他是我哥哥，破案、找线索是他的强项。”

“您继续在这里准备实验，我和哥哥去把黑色粉末找回来。”

“亲爱的小鸡，如果你能把我的宝贝粉末找回来，随便你提什么要求我都答应！”

“好，一言为定！”卡门拍拍小羊的肩膀，“放心吧，马可·波罗先生，贝里奥留在这里陪您。”

“为什么每次都是我留守？”贝里奥小声嘀咕。

看着卡门和卡梅利多的背影，马可·波罗忧心忡忡地皱着眉："真希望他们能把火药找回来，那可是我全部的财产啊！"

贝里奥拍拍胸脯，"我的朋友绝对可靠，不用担心。"

田鼠细尾巴和克拉拉悄悄来到放置烟花的纸桶旁。
“真奇怪！看起来像个鸡窝，却没有母鸡在里面！”
“我们进去躲起来，没准一会儿母鸡们就回窝了。”

谁？

“难道……是火箭说话啦……”

“……还是我幻听了？”贝里奥犹豫着要不要打开盖子。

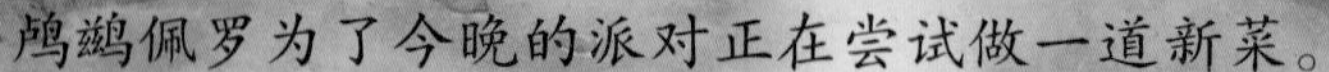

鸬鹚佩罗为了今晚的派对正在尝试做一道新菜。

“哇！我都快流口水了！”

“皮迪克，尝一口这道创意‘佛跳墙’，我添加了谷物和油炸小昆虫，味道怎么样？”

“很丝滑……很香浓，特别是昆虫入口即化，但是……”

“但是什么，别吞吞吐吐的！”佩罗急着问。

“但是……缺少石头子儿！”

“石头子儿！你没开玩笑吧？”鸬鹚佩罗摇摇头，“好吧，为了能帮助你们消化，我去河边找些上等的小石子儿来。你们的毛病真多！整天把石头子儿啃得到处都是。”

鸬鹚佩罗刚走，小胖墩和大嗓门就扛着麻袋回来了。

“胖墩，这汤里是不是还缺些中国胡椒粉？”大嗓门坏笑着说。

“对，放一点，再放一点……味道一定不错！”

“不光能提提味道，还保证让他们满嘴放炮，屁股着火！”小胖墩又抓起一把黑色粉末撒在汤里。

刺猬兄弟坐在墙头看热闹：“什么味？尼克，是你放屁了，还是胡椒味？”

“不是我……”

突然，只听见“砰”的一声巨响，锅被炸上了天！

“坏了！鸡舍传来的爆炸声！”

“妈妈咪呀！是火药的爆炸声！”马可·波罗惊恐地大喊。

“捣蛋鬼！”皮迪克气得一把揪住两个肇事者，“瞧你们干的好事！好端端的一锅汤，全被你俩给炸没了……”

“是他出的主意！”小胖墩一脸无辜地指着大嗓门。

“不是我，是你出的！”大嗓门不肯承认。

“麻袋！你们是不是偷了一个麻袋？”卡门质问道。

“我们只放了一小撮胡椒面在汤里面……”大嗓门继续辩解。

卡门明白爆炸是怎么发生的了，对着小凯丽挤了挤眼。

小凯丽马上走过去拉住卡梅利多，“你能帮把手吗？我们需要一个最强壮的小伙子来清理一下谷仓。”

“好……好吧，你们今天说话怎么都怪怪的？”

皮迪克继续教训这两个不承认错误的捣蛋鬼：“干了坏事还想溜？你们是不是想把鸡舍炸掉？罚你们打扫鸡舍一个星期，现在去清洗水槽，快去！”

“美丽的小鸡，谢谢你们帮我找回了宝贝！太出色了！我该如何报答你们？”马可·波罗感激地对卡门说。

“您说过，如果我把宝贝找回来就满足我任何愿望。”卡门对着马可·波罗耳语，“我的愿望是……”

“哦，没问题，我们需要多准备些粉红色。”

夜晚，卡梅利多被小凯丽蒙着眼睛带到围墙边。
“不许偷看，卡梅利多！我叫你睁眼的时候再睁眼。”
激动人心的时刻终于要到了……

田鼠普老大在灌木丛中左等右等都不见同伙回来，于是跑到河边来找。

“你们在哪儿呢？”

“这儿呢，头儿！”田鼠细尾巴敲了敲木桶壁。

田鼠普老大气急败坏：“天都黑了，你们躲在里面干什么？”

“我们在等小鸡回窝，头儿……”

“你们觉得守在里面就能捉到小鸡吗?! 马上从里面出来！”

田鼠普老大蹿上前正要掀盖子，不小心脚被绳子绊了一下，尾巴触到燃烧的蜡烛……

“哎哟！”普老大一声惨叫，不辨方向地在满地导火线上飞奔……

“痛死我啦！”普老大的一阵乱窜，引燃了所有的烟花装置。

璀璨的烟花将黑色的夜空装点得无比绮丽……

砰！

“天哪！我还没准备好点火呢！是谁点燃了我的烟花？”

马可·波罗想去阻止，可已经来不及了。

“你现在可以睁开眼睛了……”

望着在空中绽放的烟花，卡梅利多张大了嘴巴：“哇！天上开花啦！我不是在做梦吧？”

“生日快乐！卡梅利多，这是我们送给你的礼物！”

“千万别进来，头儿！我们会一起完蛋的！”

砰！

“卡梅利多，生日快乐！”

“谢谢爸爸、妈妈、卡门和小伙伴们……”

“……我仿佛看到了我全部的梦想，真是太精彩了！”

马可·波罗，13世纪著名的意大利旅行家和商人。生于意大利威尼斯一个商人家庭，17岁时跟随父亲和叔叔通过丝绸之路，历时四年多，到达元朝，在中国游历了17年。就是他从中国带回来了火药，让小鸡们能欣赏到烟花！

马可·波罗回到威尼斯后，在一次海战中被俘，由狱友鲁斯蒂谦执笔，把他一生丰富多彩的旅游经历写成了著名的《马可·波罗游记》，记述了他在中国的见闻，激起了欧洲人对东方的无限向往。

火药是中国的四大发明之一，中国人早在隋唐时期就已经能制造各类烟火。1292年，经马可·波罗介绍，意大利人从此沉迷于烟花。继而，烟花在整个欧洲都有着极大的需求，国王们在宗教节日、结婚典礼和加冕典礼时燃放烟花，以体现出他们的财富和权力。

马可·波罗
（Marco Polo，1254年9月15日—1324年1月8日）

你知道历史上还有哪些名人对中外文化交流作出了贡献吗？

不一样的卡梅拉

不一样的卡梅拉 第1季

1.《我想去看海》
2.《我想有颗星星》
3.《我想有个弟弟》
4.《我去找回太阳》
5.《我爱小黑猫》
6.《我好喜欢她》
7.《我能打败怪兽》
8.《我要找到朗朗》
9.《我不要被吃掉》
10.《我要救出贝里奥》
11.《我不是胆小鬼》
12.《我爱平底锅》

不一样的卡梅拉 第2季

1.《我的北极大冒险》
2.《我要逃出皇家农场》
3.《我的魔法咒语》
4.《我发现了爷爷的秘密》
5.《我的鸡舍保卫战》
6.《我想学骑自行车》
7.《我梦游到仙境》
8.《我遇到了埃及法老》
9.《我的本命年任务》
10.《我要找回钥匙》
11.《我创造了名画》
12.《我的个人演唱会》

不一样的卡梅拉 第3季

13.《我学会了功夫》
14.《我要坐飞毯》
15.《我不要撒谎》
16.《我的马拉松战役》
17.《我炼出了黄金》
18.《我想去放烟花》
19.《我的催眠树根》
20.《我讨厌小红帽》
21.《我不怕闪电》
22.《我是罗密欧》

不一样的卡梅拉 珍藏版（共三册）

据［法］克利斯提昂·约里波瓦同名绘本动画片改编

图书在版编目（CIP）数据

我想去放烟花 / (法) 约里波瓦文；
(法) 艾利施图；郑迪蔚编译.
-- 南昌：二十一世纪出版社, 2014.7（2014.10重印）
（不一样的卡梅拉动漫绘本）
ISBN 978-7-5391-9868-2

Ⅰ. ①我… Ⅱ. ①约… ②艾… ③郑… Ⅲ. ①动画—连环画—法国—现代 Ⅳ. ①J238.7

中国版本图书馆CIP数据核字(2014)第140965号

版权合同登记号 14-2012-443
赣版权登字—04—2014—468

我想去放烟花　郑迪蔚 / 编译

策　　划　奥苗文化　郑迪蔚
责任编辑　黄　震　陈静瑶
制　　作　敖　翔
出版发行　二十一世纪出版社
www.21cccc.com　cc21@163.net
出 版 人　张秋林
印　　刷　江西华奥印务有限责任公司
版　　次　2014年7月第1版　2014年10月第3次印刷
开　　本　800mm × 1250mm 1/32
印　　张　1.5
书　　号　ISBN 978-7-5391-9868-2
定　　价　10.00元

本社地址：江西省南昌市子安路75号　330009（如发现印装质量问题，请寄本社图书发行公司调换 0791-86512056）